No princípio Deus poemou

curadoria sementes

No princípio Deus poemou

OSEAS HECKERT

Copyright © 2023 por Oseas Heckert

Todos os direitos reservados e protegidos pela Lei 9.610, de 19/02/1998.

É expressamente proibida a reprodução total ou parcial deste livro, por quaisquer meios (eletrônicos, mecânicos, fotográficos, gravação e outros), sem prévia autorização, por escrito, da editora.

Imagem de capa: Paul Blenkhorn / Unsplash

CIP-Brasil. Catalogação na publicação
Sindicato Nacional dos Editores de Livros, RJ

H353p
   Heckert, Oseas
     No princípio Deus poemou / Oseas Heckert. - 1. ed. - São Paulo : Mundo Cristão, 2023.
     88 p.

     ISBN 978-65-5988-216-8

     1. Poesia brasileira. 2. Vida cristã I. Título.

23-83479   CDD: 869.1
                                                     CDU: 82-1(81)

Gabriela Faray Ferreira Lopes - Bibliotecária - CRB-7/6643

Categoria: Literatura
1ª edição: julho de 2023

Edição
Daniel Faria

Revisão
Natália Custódio

Produção
Felipe Marques

Diagramação e capa
Marina Timm

Colaboração
Ana Luiza Ferreira

Publicado no Brasil com todos os direitos reservados por:

Editora Mundo Cristão
Rua Antônio Carlos Tacconi, 69
São Paulo, SP, Brasil
CEP 04810-020
Telefone: (11) 2127-4147
www.mundocristao.com.br

Àquele que me amou,
"antes mesmo que eu fosse alguém".
Àqueles por meio de quem Deus
tem se inserido em cada contexto:
familiar — pai, mãe, irmãos, esposa (RITA),
filha, genro, netos...
social — amigos de estudo (EDNER)
e trabalho (EDSON),
eclesial — irmãos de fé (WOLÔ).
Em memória: não poderia deixar de mencionar
CARLOS OSVALDO, apreciador e incentivador
da minha poemia sazonal.
Esses 5 DESTAQUES são representativos
de muitos outros que têm sido instrumentos
da graça de Deus em minha vida.
Valeu, Deus. Valeu, meus queridos.

Sumário

Prefácio — 9

Introdução — 11
1. Advento teométrico — 13
2. Cortar o tempo — 14
3. Adam e a dama — 16
4. Caim e Abel em mim — 20
5. Não é justo! — 22
6. What, Zack? Será o Benedictus! — 26
7. Vitais sinais — 29
8. Deus multi(mí)dia — 34
9. Mais perto — 35
10. Verbo(s) divino(s) — 38
11. delas são... (premiados paradoxos) — 40
12. O Evangelho segundo o Mineirim — 42
13. O Evangelho segundo o Jerico — 44
14. O Evangelho segundo o Galo Inácio — 47
15. Pedro peixeiro — 52
16. Policarpo (na) Quaresma — 54
17. Hebdomadário da Paixão — 56

18. Acerca de uma Paixão — 61
19. Agnus — 63
20. Meditat(ri)o — 66
21. AC/DC — 69
22. Pentecostes — 71
23. Tríptico — 73
24. Quantum of Solace — 76
25. Frutos da estação — 78
26. A-finados — 80
27. Acontecendo o amanhã — 83

Sobre o autor — 85

Prefácio

Há uma maneira brasileira de contemplar o mundo, e um jeito de experimentar o significado das coisas a partir da língua portuguesa. O que empolga na poesia de Oseas Heckert é seu balizamento geográfico e o uso que ele faz da etimologia para desconstruir conceitos já cristalizados a fim de revelar, entre os fragmentos remanescentes, uma matéria-prima que pode ser usada para ressignificar nossa experiência diante do sagrado.

Ele constrói seus poemas como se fossem pequenas joias, lançando mão de ferramentas análogas às usadas pelo relojoeiro para afrouxar, apertar, encaixar e engatar minúsculas peças que passam a operar em conjunto. Tem-se a impressão de que escreve com uma lupa ao olho. Ele traz o olhar analítico do engenheiro para a tarefa de criar pequenas epifanias.

É evidente o encanto do poeta com a língua portuguesa e pelo país que destila até hoje o que Caetano Galindo chama do nosso "latim em pó". Com carinho, Oseas disseca e recompõe palavras para extrair delas novos sentidos, empresta gotas semânticas de línguas antigas, cita poetas nacionais e arremeda pronúncias características de várias regiões. Como arriscaram os poetas concretistas, ele cuida não apenas da forma e da semântica, mas também das qualidades físicas das letras, da pontuação e dos espaços entre elas. Tão importantes quanto os objetos reconhecíveis são as suas moléculas.

A arte de Oseas Heckert reflete a tradição artística cristã que floresce longe do utilitarismo dos ambientes eclesiásticos. Ele compõe sua poesia não para ser declamada como catequese rimada em culto ou missa, mas para nos estimular a olhar com mais cuidado. É na minúcia — não apenas na grandiosidade — que conseguimos identificar os traços mais nítidos da criação. É nos detalhes da Palavra e das palavras que enxergamos aquilo que Bernardo Cho identifica como o "enredo da salvação".

Esse enredo está presente em toda a obra de Oseas Heckert, e é o que o impulsiona. No princípio Deus poemou: juntou ciência e amor para criar algo do nada.

MARK CARPENTER
Presidente do Conselho Diretivo da Mundo Cristão

Introdução

Deus poemou, e seus poemas falam muito ao meu coração.

O poema Criação me encanta e me faz cantar. Ouvindo pássaros, surgiu meu primeiro poema.

O poema Palavra Inspirada me fascina. Produção coletiva com muitos coautores que, didaticamente, me estimulam a meditar e me_editar.

O poema Encarnação me desafia e me transforma diariamente. O Verbo que se esvazia me convida a desinflar meu ego.

O poema Consolador, selo de sua permanência comigo apesar de mim mesmo, me inspira a confortar os que sofrem.

O poema Ekklesia me chama a con_viver, em cada uma das suas estrofes — família, igreja local/tópica, igreja u_tópica.

O poema Parousia me estimula a perseverar, na certeza de que a fé e a esperança vão se concretizar, mas o amor jamais acabará.

Eu não cria, não criava, nada.

Cri_e_isto me faz criar.[1]

---

[1] parafraseando Wolô nos poemas "O Maior dos Três" e "Criação"

Advento teométrico

um ponto.
pronto.
independente!
só.

outro ponto.
distância:
há ponte?
a_linha_dos!

mais um ponto.
temos um plano!
oops, erramos...
planetas[1] no espaço?

embaraço...
par(t)iu outro plano!
cibernética[2]:
Alguém 'tá no controle.

---

[1] do grego *planetes*, "errante", no sentido de afastar-se do caminho certo, desviar do caminho, extraviar
[2] do grego *kybernetike*, "arte de pilotar, de governar", na conceituação do matemático Norbert Wiener

Cortar o tempo

Quem teve a ideia de cortar o tempo em fatias,
a que se deu o nome de ano,
foi um indivíduo genial.
Industrializou a esperança,
fazendo-a funcionar no limite da exaustão.
Doze meses dão para qualquer ser humano
se cansar e entregar os pontos.
Aí entra o milagre da renovação e tudo
   começa outra vez,
com outro número e outra vontade de
   acreditar que
daqui pra diante vai ser diferente...
                    Carlos Drummond de Andrade

No poema da criação[1]
(do ponto de visão de quem 'tá na Terra)
Deus fez tal divisão quando bolou uma bola de luz
e separou o tempo em duas fatias — noites e dias.
O poema genésico continua pra dizer que a lua
insinua ciclos pra gente celebrar.

---

[1] Gênesis 1

Pra gente se lembrar de que ainda que o tempo flua
nunca é tarde pra começar a refletir:
não temos luz própria, mas podemos refletir.

Parafraseando o texto sagrado que diz
"no perfeito amor não existe medo",[2]
arremedo, com um ledo levedo:
— Quanto maior o amor, maior o albedo.[3]

---

[2] 1ª Carta de João 4.18
[3] albedo é um indicador da quantidade de luz refletida por um corpo quando é iluminado; a palavra deriva do latim *albus*, branco

Adam e a dama

Por previdente projeto,
antes da criação de tudo,
feito um perfeito fruto
de um plano de amor,
a dama-*ishsha*[1] teria,
tal qual Adam-*ish*[2]
criado da lama-*adama*,[3]
semelhança ao Criador;
ezer kenegdo seria
(auxiliadora complementar),
o par, o Éden a jardinar.

---

[1] *ishsha* (hebraico): fêmea
[2] *ish* (hebraico): macho
[3] *adama* (hebraico): terra

Por acidente de trajeto,[4]
efeito de fascinação,
Adam-*peccator*[5]
é feito corrupção.
Resultado: desnudado,
por ato falho, o ator mente.
Consequentemente,
o suor do trabalho o atormenta
e experimenta a mortalidade.
Adama, coadjuvante ativa,
é submetida à vaidade,
reduzida a Eva-*Jawwa*,[6]
sua função procriadora,
sofredora, sua sina;

---

[4] Aberta a caixa preta,
concluiu-se, não houve
defeito de fabricação
ou falha de alguma peça.
Foi realmente a ambição
que lhe subiu à cabeça.
(Nota do Narra-dor, Gênesis 1 a 3).
[5] *peccator*: gabola que pisou na bola,
ou quem a chutou para fora
(metáfora de jogador, receio,
ou parábola do julgador alheio)
[6] *Jawwa* (hebraico): mãe

conteúdo cativador à retina,
contudo sua vontade é cativa.

Após expectativa
ardente da Criação,
na semente da mulher
desfez-se a desdita:
fez-se Maria bendita
serva de *Iahweh*.[7]

Cristo em sua Paixão
restaura as rupturas
entre todas criaturas,
introduz re-ligadura[8]
na relação de parceria
homem-mulher.
Ao Seu renascer,
é desfeita a magia,
rompida a letargia
da morte em vida.

---

[7] *Iahweh* (hebraico): "Aquele que é"
[8] na música, a ligação de 2 notas de "mesma altura", que são tocadas como se fossem uma só

Ctrl+Alt+Del:[9]
Ela, Eva-Maria,
pode ser *vera mamma*
e ser livre, todavia,
exceler[10] mulher-dama.
Ele, Adam-homo
sapiens-sabedor,
pode ser maior
quanto menor for,
como mordomo[11]
e companheiro fiel.

---

[9] *Ctrl+Alt+Del*: teclas usadas para reiniciar o computador, quando acionadas simultaneamente
[10] ser excelente, destacar-se de outro
[11] em seu sentido mais amplo de
administrador de toda a Criação,
como lhe(s) fora proposto inicialmente; ver Gênesis 1.28

Caim e Abel em mim

Do prazer e dor
de Adão e Eva:
Caim, valor;[1]
Abel, vapor.[2]

Caim, lavra_dor,
Abel, pastorea_dor.
Irmãos em oblação.
Deus vê o coração.

Abel: grati_dão;
para Deus, bom bocado.
Caim: obrig_ação;
para Deus, há pecado.[3]

Deus, avali_ação:
Abel, favor;
Caim, não.

---

[1] Caim, do hebraico *qayin*, lança, ou alguém com autoridade para portar armas
[2] Abel, do hebraico *havel*, fôlego ou vapor
[3] Oseias 6.6: "não quero sua obrigação, quero seu coração"

Caim: rancor.
– Abel, não!

Deus ouviu o clamor.
– Caim, e Abel?
– E daí?...[4]

---

[4] Há Abel e há Caim em cada um de nós.
Alguns se apegam mais a um papel do que ao outro:
Abel, gratidão; Caim, rancor, ódio...
Em meio a circunstâncias e motiv_ações diversas,
vale lembrar que "não odiarás" tem o mesmo peso de "não matarás"
(cf. Jesus em Mateus 5.21-22).
Quantos Abel's temos assassinado, por intenção, ação ou omissão?

Não é justo![1]

Eu e Malaquias
moramos na mesma rua.
De um lado,
casas conjuminadas,
doze pequenas moradas.
A minha é a primeira,
a dele, a derradeira.
Do outro lado,
imponentes casarões:
a de Isaías,
a maior das cercanias.

O meu desgosto é que George
a eles dois fez referência,
mas não lembrou de mim
no seu notório oratório.
É vexatório!
Mesmo Ageu e Zacarias
(vizinhos de Malaquias),

---

[1] Lamentações de Oseias, o profeta,
  por Oseas, aprendiz de poeta

e até Jeremias (suas lamúrias),
todos tiveram sua deferência.
Entretanto, meu desencanto:
em nenhum canto d'"O Messias",
George levou em conta
uma ponta sequer
de minhas profecias.
Insisto: isto não é justo!

Noutras artes, longe disto,
meu lenitivo e prazer
é saber que fui lembrado
por dois Antônios:
na escultura,
em pedra-sabão,
nos profetas de Aleijadinho;
e na literatura,
no sétimo sermão
do padre Vieira,
em sua verve costumeira.

Por outro lado,
devo reconhecer
que, tanto George
quanto os Antônios,

cada qual fez sua parte
pra, através de sua arte,
deixar gravada na memória
a história do amor de Deus
que de sua glória se esvazia,
e homem se faz
pra matar a saudade
que de nós sentia.

Eu, de minha parte,
de minha própria vida
fiz teatro do absurdo
pra demonstrar do que é capaz
a natureza humana corrompida,
e comprovar, em contraparte,
o amor de Deus que, pertinaz,
se entregou pra reconquistar
cada um de nós que, atroz,
se faz passar por surdo,
na mais profunda ingratidão.

Natal é evangelho,
Natal é boa nova,
Natal é prova do amor
irrestrito de Deus.

Assim sendo, contrito,
arrependo-me da crítica mordaz.
Independente do "pecado" de George,
dos meus, dos seus,
dos motivos que nos afastam,
precisamos fazer paz.

Natal é tempo de reconciliação.
Não é justo negar o perdão.

What, Zack? Será o Benedictus?!

A gente nunca esquece
o primeiro anjo que aparece.
Zack voltou do trabalho, afônico,
e "contou" pra Beth, atônito:
— Vamos ficar grávidos!
— Como assim?!
— O anjo falou, 'tá falado.
E permaneceu calado
todo o tempo da gestação.

Nove meses depois...
nasceu um menino.
Zacarias Júnior, natural seria.
Mas Zack disse não!
Pegou o *tablet*, escreveu:
"Ele vai se chamar João".
Daí, desemudeceu
e cantou o Benedictus[1]:

---

[1] Cântico de Zacarias, Evangelho segundo são Lucas 1.68-79 (NVT)

*Seja bendito o Senhor, o Deus de Israel,
pois visitou e resgatou seu povo.
Ele nos enviou poderosa salvação,
da linhagem real de seu servo Davi,
como havia prometido muito tempo atrás
por meio de seus santos profetas.
Agora seremos salvos de nossos inimigos
e de todos que nos odeiam.
Ele foi misericordioso com nossos
    antepassados
ao lembrar-se de sua santa aliança,
o juramento solene
que fez com nosso antepassado Abraão.
Prometeu livrar-nos de nossos inimigos
para o servirmos sem medo,
em santidade e justiça,
enquanto vivermos.*

*E você, meu filhinho,
será chamado profeta do Altíssimo,
pois preparará o caminho para o Senhor.
Dirá a seu povo como encontrar salvação
por meio do perdão de seus pecados.
Graças à terna misericórdia de nosso Deus,
a luz da manhã, vinda do céu,*

*está prestes a raiar sobre nós,
para iluminar aqueles que estão na escuridão
e na sombra da morte
e nos guiar ao caminho da paz.*

João veio primeiro
preparar o caminho
do primo Jesus,
a verdadeira luz
que vinda ao mundo
ilumina todomundo.

Vitais sinais

Ouvir estrelas (dirás),
ou vir a vê-las
mais brilhantes
pouco antes do Natal?
Deveras, verás
intrigantes sinais
de que é veraz.

Primeiro, Elias há de vir
— profeta precursor
do Dia do Senhor —,
pra depois, o Messias advir.
(Profecia de Malaquias).

Antecedendo-o, veio João
batizando no Jordão,
conclamando à luz,
apontando Jesus
como o Agnus Dei
— o cordeiro do sacrifício,
propício à justiça da lei.

Do tronco de Jessé,
surgirá um rebento,

*o sarmento prometido
à dinastia de Davi.
A virgem conceberá
do Espírito divino;
ao menino chamará
Emanuel,
— Deus, entre nós,
presente se faz —,
Príncipe da Paz.*
(Profecias de Isaías).

Concepção inconcebível,
na anunciação de Gabriel
à virgem de Nazaré:
"*De ti há de nascer
o filho de Iahweh*".
Bendita entre as demais,
acredita Maria: ademais,
a Deus tudo é possível.

*Da cidade de Belém,
vem o Rei dos reis;
eis, da vila menor,
vem o Guia maior.*
(Oráculo de Miqueias).

(Obstáculo às ideias,
desrespeito à lógica
a respeito da gênese
de um poder imponente,
a humildade configura
pedagógica figura,
importante componente
da divina parênese
à humanidade.)

Retorne cada qual
à sua cidade natal
para um censo geral
— édito de César Augusto.
Justo naquele instante,
Maria gestante
viajante a Belém.
Mera coincidência,
ou vera providência
divina houvera?

— Vilarejo, tanta gente,
não vejo lugar decente.
À Maria parturiente,
restaria a estrebaria.
Não sei qual pior seria:

José inexperiente,
odores de estrume
ou dores de costume
do trabalho de parto?

Entremente,
magos do Oriente,
astrônomos primevos,
surpresos observam
um fenômeno celeste.
Decifrada a mensagem
do surgimento da nova:
prova inconteste
de que é nascido
o prometido Messias.

Naqueles dias,
a agrestes pastores,
prestes, anjos cantores
entoarão boa nova:
*"Nasceu o Salvador
que é Cristo, o Senhor"*.
Com fé, irão à cidade,
conferirão a veracidade
do relato do fato.

Vi tais sinais,
vi coerência nas evidências
do mistério da encarnação.
Levei a sério a decisão,
optei pelo presente de Deus.
Impossível ficar impassível,
negligente a tão grande salvação.

Deus multi(mí)dia

Tendo Deus falado
por multi-dias
e multi-mídias
aos profetas no passado,
pra ser mais objetivo
fez-se homem — em Jesus,
Deus falou ao vivo
o quanto nos tem amado.
Solução permanente:
pra nós, antes distantes,
com ânsia de companhia,
Ele se faz presente,
Deus conosco todo dia.

Mais perto

Deus
faz-se criança:
do infinito ao zero
des
    cen
        do.

Nasce a esperança:
do zero ao infinito
        do.
    cen
as

Lógica possível
na mágica mente de Deus.
Praticamente impossível
na minha mente sem Deus.

Só Deus
poderia tornar comunicantes
nós q'antes distantes.
Só Deus
poderia tornar viventes
pós ao acaso dormentes.

Deu-me um corpo.
Deu-me um sopro.
Deu-me vida.
Deu-me amor.

Entretanto,
fiz-me alheio.
Entre tanto amor,
disse: Odeio.

Insistente,
fez-se ausente
do céu,
por um pouco.
Fez-se gente
pra que a gente,
pouco a pouco,
voltasse a refletir
sua imagem.
Imagine!
Se assim não fora
tão instante seu amor,
era capaz de eu resistir.

Não obstante,
conquistado,

ao seu lado,
na Verdade,
não mais só
caminho
na Luz de Jesus.
Caminho
pra mais perto do Pai.

Verbo(s) divino(s)

Colocar a gente no mundo,
respeitar opinião divergente,
contornar confusão crescente,
providenciar solução permanente.

Encarnar profecias de Isaías:
"Evangelizar salvação aos pobres,
proclamar libertação aos cativos,
restaurar visão aos cegos.
Não gritar na praça,
não esmagar a cana quebrada,
não apagar a esperança,
anunciar a Graça".

Esvaziar-se da glória,
encarnar-se criança.
revelar-se por inteiro,
entregar-se Cordeiro.

Suportar traição,
perdoar gozação,
sofrer calado,
padecer isolado,

morrer imolado,
ressurgir inesperado.

Amar:
Verbo divino,
presente incondicional.

delas são... (premiados paradoxos)

observai as aves do céu:
delas são a frugalidade e a fartura,
plural celeiro virtual ao dispor,
mesmo sem semear nem colher.

observai as flores do campo:
delas são a fragilidade e a formosura,
singular vestidura real para expor,
mesmo sem trabalhar nem tecer.

> aves e flores:
> nelas 'stão vestígios do Éden,
> e indícios da nova Criação.

observai as criancinhas:
delas são a trans(a)parência
e a pureza de coração.
confiar e depender lhes é natural.
o Reino e o colo de Deus delas são.

> aves, flores, crianças:
> metáforas de des-pre-ocupação,
> satisfação, contentamento...

autoesvaziamento:
espaçamento pro fluir do Vento.

didática cristalina:
renascer da água e do Espírito,
mistério para acolher, receber,
mister para entrar no Reino.

O Evangelho segundo o Minerim

Ói só us passarim
num qué sabê di plantá nem di coiê
mesu pruquê êlis num tem onde guardá
maisnem purissu morre di fômi
    i prêlis Deus dá di cumê

Ói só as florzim
e'as num trabaia nem fia
apenas cunfia
i vive tudo bunitim
quinem umas princezim
    i prélas Deus dá carim

Ói só us minino
qui vive fazeno travessura
vira quinem pião pra dá tuntura
fala cada coisa na frente das visita...
massimesu 'gente gosta dêlis
    i prêlis Deus dá colim

Ói só
sisquenta tanto não sô

bota carma na sua arma
Deus gosta mui'docê
mais qui dus passarim
i das florzim tudo
Cê 'garra nEle cum fé
qui Deus vai dá maná
i tudo mais qui cê precisá

oi 'qui
mar i bem todo dia tem
'pruveita hoje u bão qui tem
Trabaia i cunfia[1]
i aminhã vai sê mió
cê vai vê só.

---

[1] ato falho, espalho o lema do Espírito Santo;
nascido capixaba, cresci cercado de mineiros
e vivo com uma mineira que me ensina a viver
no dia a dia conjugado conjugando o dialeto

O Evangelho segundo o Jerico

Eu vivia em Bethfagé,
periferia de Jerusalém.
Logo cedo, percebi
o ledo frenesi
dos judeus em vai-e-vém
para a festa no templo.
Olhando, distante,
diante daquela alegria,
eu apenas queria
participar daquela romaria.

Estava, naquele instante,
com minha mãe, frente à casa,
quando chegaram discípulos
com uma conversa esquisita:
— O Mestre o requisita
para um serviço importante.

Eis que eu fora o escolhido
para levar o Rei dos Reis
em sua entrada triunfal
na Jerusalém festiva.

A comitiva avança
sobre ramos e mantos
espalhados pelo chão.
Num canto de criança,
a esperança se refaz,
e Hosana se faz refrão:
seria, então, estabelecido
um novo reino de paz.

Para muitos curiosos,
uma grande contradição:
— Quem é esse rei que vem
subindo pelo caminho
montado num jumentinho?
Para outros, furiosos,
um desacato à tradição:
— Quem é esse que diz ser
da dinastia de Davi,
e desafia nosso poder?

Para bom entendedor,
mera demonstração
de vera humildade.
Não é preciso ostentação
para instaurar um novo reino
onde vigora a lei do amor.

Esta foi minha missão
a serviço do Rei posto.
Qual será sua resposta:
compromisso ou omissão?

O Evangelho segundo o Galo Inácio

A gente que é galo
'tá sempre por perto,
ciscando o chão
procurando alimento,
observando o movimento,
e, no momento certo,
canta a pleno pulmão
pra ver se a horda acorda.

Certa madrugada,
nem havia amanhecido
já se ouvia um alarido
em toda Jerusalém.

A bem da verdade,
toda a semana fora
fora do comum.
Um galo contou,
outro galo cantou,
correu um mexerico
a bico pequeno
des'que o Nazareno

chegara na cidade
montado num jerico.

Depois de muita euforia,
na pesquisa de opinião
a população se dividia:
para alguns, um a mais
a falar na multidão;
para os que viram sinais
e O ouviram naqueles dias
a falar tanta verdade
com santa autoridade,
só podia ser o Messias;
para outros, entretanto,
um tanto problema,
inimigo do sistema.

Por conta disto,
Jesus, chamado o Cristo,
tendo sido considerado
ameaça à *romana pax*,
e perigo à religião,
estava sendo julgado
na casa de Caifás.
Era início do suplício,
na semana da Paixão.

Simão, que O seguia,
veio em segredo,
tremendo de medo,
e ficou ali, na moita,
"cozinhando o galo"
sem saber o que faria.
Pelo sim, pelo não,
com coração na mão,
Simão 'tava apertado:
Jesus o havia alertado
que haveria de negá-Lo.

Com o frio que fazia,
em torno da fogueira
"entornou o caldo".
Com a cara assustada,
não escapou Simão
à criada desconfiada
que o denunciou, certeira:
    — Ele estava com o galileu.
Simão foi logo disfarçando:
    — Do que é que 'cê 'tá falando?
    Não pode ter sido eu,
    nem sequer conheço.

Era apenas o começo.
No instante seguido,
diante de um soldado,
foi de novo reconhecido:
 — Não era este sujeito
 que agora há pouco
 cantava de galo no palco
 e, dando de louco,
 cortou a orelha do Malco?
Mal começou a conversa,
desconversou Simão:
 — Não fui eu, não.

Mas, desta feita,
a máxima foi desfeita.
Não foi peixe, mas pescador,
quem, pela boca, morreu:
seu sotaque galileu,
ato falho, foi destaque.
Todo mundo foi sabedor
que ele era um seguidor
de Jesus de Nazaré:
 — *É mentira, ele mente.*
 — *É um deles, certamente.*

Com imensa insensatez,
nessa tensa terça vez,
Simão roeu a corda.
   — Acorda, Simão!
   Não me aguentei,
     cantei, instante.
Naquele instante,
de relance, sem censura,
Jesus olhou-o com brandura.

   Seria cômico,
   se não fosse trágico.
   Seria indômito,
   se nesse espelho mágico
   eu quisesse não me ver.

   Refletindo, devo reconhecer:
   depois de tudo o que Ele fez,
   de negá-Lo, inda sou capaz.
   Vou rogar, mais uma vez,
   o Seu perdão, a Sua paz.

Pedro peixeiro

Pedro peixeiro
despenseiro da graça
dispensando a graça?!

Não passa de um traíra
que negou alguém
que lhe disse o que faria
o que ele fez tão bem,
    e continua insolentemente
    arrastando indolente gente
    sem nada a ver com o peixe.

Pedro peixeiro fica assim pescando
e assim pescando, um tanto lasso,
a mente vai ficando no laço
do retropasso à pescaria.
    Fish-maria!
    Curta memória, vida maçante,
    pesca inglória, rede vacante.
    Manhã parece carece despertar alguém.

Eis que aparece o Mestre pra ensinar a quem
acha que tudo sabe desse ofício.

Pedro peixeiro deixa o vício,
à nova abordagem cede,
sucede a rede transbordante!
    — Deixa a pecha de inconstante,
    de fazer o que dá na telha,
    emparelha-te comigo,
    aparelha-te pastor de ovelha.

Pedro peixeiro foi se repensando,
compensando sua tri-negação
com tri-asserção de amor.
    Vem a graça trazendo a paz,
    e a culpa vai ficando pra trás...

Da pesca ociosa à maravilhosa,
do círculo vicioso ao virtuoso.
    Vai, amigo, não peques mais.
    Vem comigo, não pesques mais...

Policarpo (na) Quaresma

Quarenta dias até a Paixão...
A violeta floração
convida à reflexão,
envida, sobretudo, ao estudo:
comparação com o padrão
de Jesus, do Evangelho.
O amor a Deus, acima de tudo;
o amor ao semelhante,
não menos importante.

Diante do espelho,
a imagem do Criador
apresenta distorção:
arrogância, ganância,
luxúria, fúria,
ódio, ócio,
gulodice, chulice,
cobiça, injustiça...

Cada disfunção,
toda anomalia,

carece de conversão[1],
que traga como produto
o fruto de arrependimento,
o policarpo do Espírito:
paz, alegria,
amor, caridade,
bondade, fidelidade,
consciência, paciência,
altruísmo, autocontrole.

Quarenta dias até a Paixão:
ocasião[2] de oração,
avaliação e renovação,
de abstinência voluntária,
autodidática, autolimpante,
de reequilíbrio orgânico,
restauração espiritual
e transformação social.

Reflexão solitária,
atitude solidária:
cada um fazendo um pouco,
o mundo ficará menos louco.

---

[1] *metanoia, u-turn*, 180°

[2] tempo da oportunidade, *kairos*

Hebdomadário[1] da Paixão

**Hosana, aclama
a comitiva festiva.**
Quinze minutos de fama:
entrada triunfal
na semana pascal.
Um ror de gente
a ver de perto,
verde tapete de ramos.
Efêmero sucesso aflora.
Aduladores de prima hora.

**Trinta moedas de prata:
o preço da traição.**
Por dinheiro ínfimo,
delata o inimigo íntimo.
Para manter a tradição
tudo vale a pena.
Com um beijo apenas:

---

[1] hebdomadário, noticiário, periódico que se publica semanalmente, como se fora uma revista que apresenta o resumo da semana

o mercenário encena
a senha obscena
no cenário *post-cena*.[2]

**Getsêmani,
as oliveiras da aflição.**
"Afasta de mim este cálice..."
Pedro, Tiago e João,
três amigos chegados,
convidados à intercessão.
Olhos fechados, em oração?
Olhos pesados, que decepção!

Cantou de galo, cantou o galo...
Depois de jura e bravura,
a paúra e a trincadura:
trinca de símplice-negação,
tríplice cúmplice-acusação.
Amargamente,
cumpre-se a predição:
de pronto, o galo canta.
Amarguradamente,
Simão Pedro se espanta
tendo-O negado tão facilmente...

---

[2] *post-cena* (latim): após a ceia

Tortura-agrura
Perdura o tércio de varas,[3]
o tripálio romano,
suplício des_umano:
39 vezes fustigado
(judaicas ambiguidades).[4]
Injustamente castigado,
"ferido por nossa transgressão,
moído por nossas iniquidades".[5]
Propícia propiciação.

Atura a coroa de espinhos:
o tércio das *banderillas*,[6]
os picadores no picadeiro.
"ante seus tosquiadores, calado",
"por nós, Ele se fez pecado".

---

[3] alusão ao primeiro tércio da tourada quando o animal é ferido para minar sua força

[4] "...um número de açoites proporcional ao crime. Jamais ultrapassem, porém, 40 açoites" (Deuteronômio 25.2,3). Melhor, trinta e nove para não correr o risco de exceder o limite

[5] Isaías 53.5

[6] alusão ao segundo tércio da tourada quando *banderillas* são plantadas no touro pelo toureiro ou por picadores, preparando para o tércio final onde o animal é abatido

O sacrifício do Cordeiro,
o tércio derradeiro.

Crucificação-Consumação.
No monte da Caveira,
a derradeira provação:
3 cruzes, 2 cafajestes,
Jesus ao meio.
Em meio a vitupérios,
sorteio de suas vestes,
e meneios de cabeça:
— *Desça da cruz, Jesus,*
salve-se a si mesmo.
— *É mesmo filho de Deus,*
pretenso Rei dos Judeus?
Que Ele o livre, se o ama.[7]
Servo sofredor, desfigurado,
todo nervo em dor, exclama:
— Tudo está consumado!

Da Morte-Mentira à Vida-Aletheia.[8]
José de Arimateia,
membro do Sanhedrin,

---

[7] Evangelho segundo Mateus 27.33-44.
[8] do grego *aletheia*, verdade

cedera aos discípulos
um sepulcro em seu jardim.
Cedo, era o terceiro dia,
a 3 mulheres surpreendia,
o mistério da tumba vazia:
   — *Não lhes parece incorreto*
   buscar entre os mortos
   Jesus Cristo ressurreto?[9]

"Onde está, ó morte, a tua vitória?
Onde, ó morte, a tua vanglória?"[10]

---

[9] Evangelho segundo Lucas 24.5
[10] parafraseando Oseias 13.14, citado por Paulo na 1ª Carta aos Coríntios

Acerca de uma Paixão

Páscoa: momento de reflexão;
acerca-se uma Paixão.

Quanto vale a vida
do Filho do homem?
Trinta moedas de prata,
o preço de um beijo de traição?
Trezentas moedas de prata,
o preço de um frasco de puro nardo,
alegadamente desperdiçado na Sua unção?

Quanto vale a vida
de uma filha de Eva,
de um filho de Adão?[1]
Moveu o interesse do Criador
em recompor a relação rompida;
custou o sacrifício de Cristo.
Mas tudo isto terá sido em vão

---

[1] (pro)vocativo criativo de C. S. Lewis ao se referir aos humanos, nas Crônicas de Nárnia

se você continuar silencioso[2]
e não retomar a comunicação.

Páscoa: momento de decisão
acerca de uma Paixão.

---

[2] metáfora de C. S. Lewis em *O Planeta Silencioso*

I
Agnus Lei

Pela didática divina,
um **CORDEIRO** foi morto
para vida ser preservada.

Cada porta marcada
pelo sangue derramado
em sinal da Aliança.

O memorial da **Páscoa**
para relembrar o momento,
com salmos e *vinos*:
um **CORDEIRO** sem defeito
— uma morte por uma vida —,
pães sem fermento
— a pressa na saída —,
ervas amargas
— o sabor do sofrimento.

Pela **Fé** na promessa,
peregrinos vão em busca
de uma Terra Prometida,
de um Sábado universal.

II
Agnus Dei

Pela justiça divina,
o **Cordeiro** foi morto
para a Morte ser derrotada.

A Palavra encarnada:
sendo homem, fez o que
homem nenhum poderia;
sendo Deus, fez o que
somente Deus poderia.

O memorial da **Eucaristia**
para anunciar o sacrifício
do **Cordeiro** perfeito
que morreu por todos,
uma vez por todas.
Seu corpo — o Pão que desceu do céu,
Seu sangue — o Vinho da Nova Aliança.

Na **Esperança** da ressurreição,
peregrinos vão em busca
do reencontro com o Pastor.
Maranatha: Vem, Senhor.

III
Agnus Rei

Pela graça divina,
a glória de Deus é revelada,
nossa história é transformada.

Apocalipse — Nova Criação:
o fim é apenas o começo.
Na árvore da vida,
há um perpétuo recomeço,
— momento novo a cada pomo,
como se fosse o primeiro.

Na Cidade de Paz,
às margens do rio da vida,
a diversidade humana
finalmente se irmana
para as **Bodas** do Cordeiro.

Em terna comunhão,
eterna festa de **Amor**,
peregrinos descansam
e celebram com vinho novo
o Rei dos reis, seu Senhor.

Meditat(r)io

Deus *abba*[1]
Deus paterno
Deus sempiterno
Deus sempre terno
Deus mor amor

Deus filho
Deus envia a via
Deus avia a aleia
Deus *aletheia*[2]
Deus *zoe*[3]
Deus o é

Deus consolação
Deus vent'ufão[4]
Deus silen_cicio[5]

---

[1] *abba* (aramaico): papai, paizinho, painho
[2] *aletheia* (grego): verdade
[3] *zoe* (grego): vida
[4] Atos 2.2
[5] 1Reis 19.12

Deus *amato paracleto*[6]
Deus abstrato-concreto
Deus imanente-transcendente[7]
Deus (teo)lógico-empírico
Deus antropogógico[8]-pírico[9]

Deus ético-eclético
Deus *perichoretico*[10]

---

[6] *parakletos* (grego): consolador (cf. João 14.16), advogado (cf. 1João 2.1)

[7] *imanente*: intimamente relacionado à vida humana e à criação; presente no âmbito da experiência; *transcendente*: fundamentalmente diferente, totalmente além da compreensão humana, em decorrência de sua superioridade absoluta, mantém uma relação de soberania e de distância

[8] *anthropos* + *agogia* (grego): mentoria de seres humanos adultos (obs.: pedagogia, literalmente, refere-se à tutoria de crianças)

[9] *pyr* (grego): fogo, como em Êxodo 3.2 (sarça) e Atos 2.3 (pentecostes)

[10] *perichoresis* (grego): dança de roda (*peri*, em torno de). João Damasceno, pai da Igreja, percebeu numa dança de roda o melhor exemplo para o relacionamento que existe na Trindade: enquanto a roda se movia, uma criança ficava no meio, e assim iam se revezando. Onde uma "pessoa" está, as outras também estão (cf. João 14.10), e há um recíproco estar no outro, que caracteriza o amor divino, as relações entre Pai, Filho e Espírito Santo

Deus comunhão
Três como um são

Deus todo saber
Deus todo poder
Deus ubíquo ser
Deus *in universo
et extra universum* [11]

Deus meu, sou teu
Do que é teu
to dou todo verso.

---

[11] Deus está "dentro no/do mundo e fora do mundo". Gregório de Nazianzo, *Oração 28*

AC / DC

Antes de Cristo,
Depois de Cristo.
Cri, isto marcou minha vida.

Filho de crente,
neto de Deus?
Família de pastor,
+1 complicador.

De tanto ouvir
tanta pregação,
parei de sentir,
cauterizei o coração.

Fiz-me distante,
na descendente
vi-me descrente,
quis-me ateu.

Confrontado pela morte,
bateu forte
meu coração baldio.
Naquele dia não deu pé.

Comparei-me aos da fé,
constatei-me vazio.
Busquei-Te,
achei-Te à minha espera,
agarrei Tua mão.

Saí da negação,
ofereci meu preito.
Sigo em Tua direção,
até ser um dia perfeito.

> *A vereda dos justos é como a luz da aurora,*
> *que vai brilhando mais e mais até ser dia perfeito*
> (Provérbios 4.18, ARA).

Pentecostes

Antes de tudo, era o caos.
O Vento soprou sobre o nada,
houve invento-criação.
Inicia a poesia do Oleiro:
cria da terra o homem-primeiro;
o Vento soprou em suas ventas
e fez-se vivente-respiração.

No princípio, era o Verbo.
Quando o Vento Santo
emprenhe-encheu a virgem,
houve o evento-concepção.
O Verbo se fez matéria-miséria,
houve advento-encarnação.

Depois da Paixão,
no dia cinquenta,
venta a Divina Ventania,
preenche a casa-convento
onde a Dúzia-1 permanecia:

houve ardente glossolalia[1].
Do espavento, fez-se ousadia;
a semente se fez crescente,
provento cento-por-um.

O Vento Santo
sopra em todo canto,
reconhecemos sua voz,
desconhecemos seu caminho.
Qualquer de nós
pode ser livre ser;
basta nEle crer
pra dEle renascer
e deixar de ser sozinho.

Na inspiração do Vento
há aptidão pra instrumento
de semear o amor,
disseminar a verdade,
até Seu pleno conhecimento.

---

[1] capacidade de falar outras línguas, em êxtase; milagre do dia de Pentecostes

Tríptico

No princípio era o Verbo.
O Verbo estava com Deus.
Logo, o Logos era Deus.
Sem ele nada se fez.

Elohim conjugou o fazer.
Houvesse dito uma vez
"*fiat universus!*"
e tudo *promptus*.
Mas preferiu fazer versos.

Elohim conversou entre si:
façamos seres (*anthropon*)
à nossa imagem (*eikona*)
e semelhança (*homoiosia*).

O Espírito sopra onde quer.
Soprou o folego de vida,
pó tornou alma vivente.

Oh! Ficou evidente:
somos poema de Yahweh!
Somos porque ELE-É.

Criado para louvor da Sua glória
preferi outra versão da história:
"Você será (como) Deus!".

Meu coração se gaba (*gabahh*)[1],
meu olhar se exalta (*meteoriza*)[2].
Espero sempre mais (*megalo*),
quero maravilhas demais (*hyper*).

Cobiço prazer carnal (*epithymia*)[3]
vejo-desejo a_traído pelos olhos,
soberbo, quero a_parecer melhor.

O mal que não quero querer
compulsivamente estou a fazer.
Quem me livrará de viver
essa morte em vida?

---

[1] *gababahh* (hebraico): exaltar-se, ser arrogante
[2] meteorizar, inflar-se
[3] *epithymia* (grego): desejo pelo que é proibido

*"Eu vim para que tenham vida
excessivamente abundante."*

Ouvi *"venham a mim..."* e
"meu Pai e eu faremos morada".
Que irresistível chamada!

Templo do Vento São
agora somos, soma de Cristo
que aflora aroma agradável.
Quão bom e quão suave...
irmãos em comunhão.

Yahweh acalma a minh'alma.
Pela fé, respiro sossegado
que nem neném amamentado.

A graça mudou minha história.
Graças a Deus que nos dá vitória!

A partir de uma leitura 3em1 dos salmos 131-132-133,
das tentações (1João 2.16), de Romanos 6-7-8,
da graça de um Deus 3em1.

Quantum of Solace

Solidão ensimesmada,
solilóquio solitário,
solo solífugo.
Só, corro...
Socorro solicito.

Solícita solução:
Sol da justiça nascerá,
solver há em suas asas.[1]
Sol já, ainda-não?

Por enquanto,
"faz escuro, mas eu canto".[2]

Quanto solaz!
Solar-menino traz
Sol-luz pra vida afora...

---

[1] Malaquias 4.2
[2] *"Faz escuro mas eu canto"*, poema de Thiago de Mello

Justo agora
minha trilha brilha mais.
Solfejemos solidários:
    Sol proclama a aurora
    Lá da nova Criação![3]

---

[3] Os versos finais são uma ressonância ao poema "O Maior dos Três", de Wolô:
Quando a Fé chegar ao seu final
E a Esperança se concretizar
Num corpo imortal
No céu, sereno lar,
Jesus será
o nosso sol lá.
E o Amor jamais acabará!

Frutos da estação

Pomos, o que somos;
gomos de um só pomo.
Só frutescemos
se perma[1]-nascemos
mIX_somados no *soma*,
ennea_karpos[2] no corpo.

espectro 9em1 da frutaria galática[3]:
amor enthusiástico, com inextinto sabor
    ultravermelho
alegria, agalliao[4], graciosamente transbordante
paz-*eirene*[5], serenidade in-out-erável
paciência, paz-ciência macro-longânime
benignidade (que) gera gentileza

---

[1] alusão à permacultura, expressão criada por Bill Mollison e David Holmgren para referir a um tipo de agricultura permanente, que consiste na filosofia de trabalhar a favor, e não contra a natureza

[2] grego: *soma*, corpo; *ennea*, nove; *karpos*, fruto

[3] Gálatas 5.22-23

[4] exultante contentamento incontido (*Magnificat*, Lucas 1.47)

[5] grego: *eirene*, paz, harmonia

bondade (que) integra beleza
fé *hi-fi*[6], confiante *para-enargeia*, *syn-energeia*[7]
mansidão no conjugado-coração[8], imensidão de dulçura
temperança ("bravo bem temperado"), infraviole(n)ta temperatura

Noves fora[9], nada!

---

[6] *high fidelity*, alta fidelidade (no original grego, *pistis*, tanto fé quanto fidelidade)
[7] *para-enargeia*, ainda que na ausência de evidência; *syn-energeia*, com-tudo evidente-operante
[8] co-lego's de jugo (*syzygos*, Fp 4.30), em com-passo no *pathos* (sentindo) e no *patos* (indo)
[9] "noves fora" era um teste usado para validar a acurácia do cálculo; expressão aqui usada para reforçar que não são 9 frutos, mas um único fruto caracterizado por 9 atributos, e que a falta de um dos atributos descaracteriza a natureza do fruto que é gerado pelo Espírito — permacultura espiritual

A-finados

Um ponto.
Ponto de partida.
Primitiva posição no espaço.
Adimensional, átomo.
Mas, um momento.
Quais são as coordenadas?
Começo, meio ou fim?
Mais cedo ou mais tarde,
ponto final.
Definitivamente, finado?
Finados:
— *Nós que aqui estamos,
por vós esperamos.*[1]
Indesejada finitude
mas, *se não morrer, fica só.*[2]

---

[1] Inscrição no portal do cemitério de Paraibuna, SP
[2] Evangelho segundo são João 12.24

Dois pontos:
Explico-me:
em conjunto,
corretamente alinhados,
existimos interligados
a outros pontos que
determinadamente
projetam uma reta
— infinitude!
Incluídos e contidos
no plano terno do Eterno,[3]
temos o mesmo ponto de partida,
teremos o mesmo ponto de chegada;
ainda que em retas paralelas
seguimos planos alelobióticos.[4]

---

[3] Carta de são Paulo aos Efésios 1
[4] de *alelobiose*, relações ecológicas entre organismos de diferentes espécies em uma determinada comunidade

Três pontos...
Neste ínterim...
Psiu! aposiopese[5]
ou não-revelação?
apokalypsis[6]: Deus se revela!
Deus se esvazia, encarna,
deixa-se morrer, ressurge...
Urge que eu me descubra,
encontre o próximo
igualmente semelhante,
e caminhemos afinados
nesta vida onde há morte.
Mas a morte é apenas
uma vírgula, uma pausa
numa frase que continua...

---

[5] do grego *aposiópēsis*, interrupção da fala, da raiz *siōpé*, silêncio
[6] grego: revelação, descobrimento

Acontecendo o amanhã

Esquecendo o passado,
o fado, o pesado fardo,
enriquecendo o presente,
com a apreendida lição
aquecendo o coração,
aprendemos que o chão
danado que dá cardo,
dá nardo perfumado.

O futuro é obscuro,
o caminho inda é fosco,
mas se vamos irmanados,
confiados em Deus-conosco,
eu me sinto mais seguro.

Lançarei meu dardo
almejando o alvo: ser
solidário, interdepender,
pra acon-tecer[1] o alvorecer.

---

[1] parafraseando João Cabral de Melo Neto em "Tecendo a manhã"

Sobre o autor

Oseas Heckert é sócio fundador da Antropogogia, consultoria dedicada a desenvolver o potencial do ser humano integral, individualmente e nos seus círculos de complementaridade. Tem formação em Engenharia Eletrônica (ITA e PUC-RJ), Administração Industrial (Mauá) e MBA em Gestão de Projetos (FGV). Casado com a artista plástica Rita Heckert.

Obras da Curadoria Sementes:
- *A espiritualidade de Jesus*, de Tiago Abdalla
- *Amizade*, de Tiago Abdalla
- *Doidos por discernimento*, de Tiago Cavaco
- *Igreja revitalizada*, de Leandro Silva
- *Mulheres da Bíblia em literatura de cordel*, de Gilmara Michael
- *Neocalvinismo*, de Tiago de Melo Novais
- *O protagonismo da Bíblia*, de Estevan F. Kirschner
- *Sermão expositivo*, de Jubal Gonçalves

Compartilhe suas impressões de leitura,
mencionando o título da obra, pelo e-mail
opiniao-do-leitor@mundocristao.com.br
ou por nossas redes sociais

Esta obra foi composta com tipografia Calluna
e impressa em papel Pólen Natural 70 g/m² na gráfica Eskenazi